'Gym'rwch chi baned?'

E.G. Millward

LLYFRAU LLAFAR GWLAD

Llyfrau Llafar Gwlad

Golygydd: John Owen Huws

Argraffiad cyntaf: Awst 2000

ⓗ *E.G. Millward/Gwasg Carreg Gwalch*

Rhif Llyfr Safonol Rhyngwladol:
0-86381-629-0

Cynllun clawr: Sian Parri

Argraffwyd a chyhoeddwyd gan Wasg Carreg Gwalch,
12 Iard yr Orsaf, Llanrwst, Dyffryn Conwy, LL26 0EH.
℡ 01492 642031
🖹 01492 641502
✆ llyfrau@carreg-gwalch.co.uk
lle ar y we: www.carreg-gwalch.co.uk

Cydnabyddiaeth:
Poster Te'r Werin: atgynhyrchwyd drwy garedigrwydd Antur Waunfawr.
Poster Brooke Bond: atgynhyrchwyd drwy ganiatâd caredig Archifau Hanesyddol Unilever.
'Ledis bach y Pentre': Hwiangerddi, gol. Jennie Thomas (Gwasg y Brython, Lerpwl)

Paned

Pan fydd blinder yn fy merwi – a dail
A dûr lond fy mhen i
A'r mỳg mor glyfar â mi:
Mae paned yn gwmpeini.

Myrddin ap Dafydd

Rhagair

Nid cais i ysgrifennu hanes yfed te yng Nghymru yw'r llyfr hwn, ac yn sicr ddigon, nid astudiaeth wyddonol mohono. Nid yw'n ddim ond molawd personol i'r dail estron a ddaeth yn rhan mor bwysig o'n bywyd ni fel Cymry. Un o'm hatgofion mwyaf annwyl yw mynd, pan oeddwn yn blentyn ysgol, gyda'r teulu i dreulio diwrnod o haf hirfelyn tesog a phrysur ar draeth poblog Ynys y Barri. Byddai ugeiniau o drigolion ein stryd ni yng Nghaerdydd yn codi maes gyda'i gilydd i ddal y trên i'r lle hudolus hwnnw. Bron cyn eistedd ar y tywod, ac yn sicr cyn cael cennad i fynd i'r ffair wagedd, byddai Mam yn dweud: 'Cerwch i nôl potaid o de a pheidiwch â cholli dim ar y ffordd yn ôl'.

Nid oedd y byd yn gyflawn heb gwpanaid o de. Yn ein tŷ ni, byddai te 'ffresh' yn cael ei wneud cyn gwacáu'r tebot. Byddaf yn meddwl mai gofid mwyaf Mam yn ystod y rhyfel, 1939-45, oedd gorfod arllwys dŵr berw ar ben dail a ddefnyddiwyd eisoes i wneud y cwpanaid cyntaf. Ar ymweliad â chartref rhywun arall, neu yn ystod ymweliadau prin â rhyw gaffi, byddai'n llym ei beirniadaeth os na chyrhaeddai'r cwpanaid ei safon aruchel hi. Yn ystod y cyfnod rhyfel o ddogni, llwyddodd rywsut neu'i gilydd i gael aberth hunanymwadol o'r radd flaenaf gennym ni'r plant, sef rhoi'r gorau i siwgr yn ein te. Gyda synnwyr trannoeth, llawer trannoeth, mae'n debyg fod ei rheswm am hynny heb fod yn gwbl hunanymwadol. Yr oedd hi'n gaeth i de a magodd deulu yr un mor gaeth iddo. A da hynny; byddai bywyd yn dlotach enbyd hebddo.

Petai arwyddair gan ein teulu ni, yr un amlwg fyddai: 'Nid byd, byd heb de'. Dywedir bod Dr Samuel Johnson yn yfed rhyw ddeugain cwpanaid bob dydd. Yr oedd Iolo Morganwg yn gaeth i lodnwm ac i de. Trueni am y cyntaf, ond yr oedd yr ail yn dangos ei fod yn ddyn o chwaeth arbennig.

Wedi i mi ddod i oedran ymchwilio, gwelais fod te yn un o golofnau bywyd y Cymry oll o'r ddeunawfed ganrif ymlaen. Yr wyf yn dal i ddiolch o waelod calon am hynny. A chofiwch, nid oes gennyf yr un siâr na buddsoddiad o unrhyw fath mewn unrhyw gwmni te. Pe bawn yn fardd, byddai'r llyfr bach hwn yn agor gydag awdl foliant i de. Yn niffyg hynny, gobeithio y byddwch yn fodlon ar yr hyn sydd yma.

Cefais gymorth gwerthfawr iawn gan Arwyn Lloyd Hughes, Archifydd Amgueddfa Werin Cymru, a John Hughes, Rheolwr Gwasanaethau Ymwelwyr yr Amgueddfa; Lesley Owen-Edwards, Archifydd Cwmni *Unilever*; R. Gwynn Davies ac Antur Waunfawr; Isgoed Williams, Mrs Mary Burdett-Jones, Is-olygydd Geiriadur Prifysgol Cymru, ac amryw o staff Llyfrgell Genedlaethol Cymru. Diolch cywir iddynt oll. Da hefyd yw fod bardd cyfoes yn agor y llyfr gydag englyn pwrpasol. Mawr ddiolch iddo yntau ac i'w wasg.

BYDD CWPANAID DDANTEITHIOL O

Yn galw i gof y TE dewisol **30** Mlynedd yn ol.

PRISIAU—1s. 6c.; **1s. 10c**; 2s.; **2s. 4c.** 2s. 10c. a 4s. y Pwys.

YN CAEL EI WERTHU GAN

MR. ·JOHN EVANS, FAMILY GROCER,

DOLGELLAU.

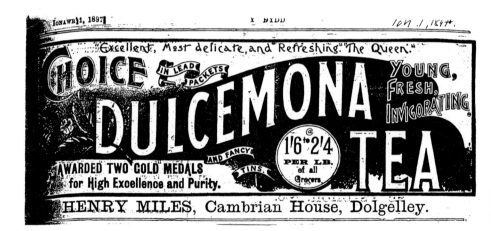

HENRY MILES, Cambrian House, Dolgelley.

6

darganfod te

Adwaenid yr ymherodr Shen Nung yn Tsieina fel gwyddonydd a noddwr i'r celfyddydau. Yn y flwyddyn 2737 Cyn Crist, eisteddai dan gangau coeden wrth fod ei was yn berwi dŵr. Yr oedd yr ymherodr yn enwog hefyd am ei bwyslais ar lanweithdra. Mynnai fod pob dŵr i'w yfed yn bur. Syrthiodd rhai dail sych o'r goeden i'r dŵr gan newid ei liw, ac fel gwyddonydd, mentrodd ei flasu. Fe'i hoffodd a dyna ddarganfod te fel diod, oherwydd coeden de wyllt oedd y goeden. Gynt, gallai coed te dyfu i ryw ddeg metr ar hugain. Heddiw fe'u cedwir i uchder o ryw fetr er mwyn casglu'r dail yn hwylus.

Yn ôl chwedl arall, daeth te i Tsieina o India ac mae'n wir ei fod yn blanhigyn sy'n tyfu'n gynhenid yn y ddwy wlad. Daeth Bodhidharma, mab i frenin yn neheudir India a sylfaenydd Bwdaeth Zen, i Tsieina yn 520 O.C. i ddysgu ffordd gwir ddedwyddwch. Bu'n byw bywyd llym yno, gan ymwadu â bwyd a diod a chwsg ac ymroi i fyfyrdod ysbrydol. Un tro, ar ôl naw mlynedd o ymprydio a myfyrio di-baid, caeodd ei lygaid ac er ei waethaf, syrthiodd i gysgu. Wedi deffro, teimlodd mor euog am fradychu ei addunedau fel y torrodd ei amrannau ymaith a'u taflu ar lawr. Tyfodd dau lwyn te lle syrthiodd y ddau amrant. Ni allod Bodhidharma lai na bwyta rhai o'r dail a chafodd brofiad o fyfyrdod dyrchafol a rhyw dangnefedd amheuthun. Dilynodd ei ddisgyblion ef a dyna gychwyn defnyddio te fel diod adnewyddol. Y mae'r ymadrodd cyffredin 'Cymerwch gwpanaid o de' gan Zeniaid yn arwydd o'u gofal cymdeithasol.

TE YN EWROP

Daeth te i Ewrop a Lloegr o Tsieina yng nghanol yr ail ganrif ar bymtheg. Cofnododd Samuel Pepys yn ei ddyddiadur iddo yfed te, *'a cup of tee (a China drink)'* am y tro cyntaf ar 25 Medi, 1660. Llongau o'r Iseldiroedd a ddaeth â'r dail i'w gwerthu yn Amsterdam, a hefyd offeiriaid Iesuaidd a oedd yn dychwelyd i Bortiwgal. Rhoddwyd hwb i boblogrwydd y ddiod newydd gan Charles II, brenin Lloegr, a'i wraig. Priododd Charles Catherine de Braganza o Bortiwgal yn 1662 a daeth y ddau yn hoff iawn o de. Gyda'r dail mewnforiwyd cwpanau bach a soseri o borslen, ynghyd â photiau te bychain i wneud y te ynddynt. Cyn bo hir, yr oedd cynhyrchwyr yn Lloegr yn cystadlu'n frwd â'i gilydd i ddynwared y llestri ffasiynol hyn. Rhaid wedyn oedd cael blychau neu gistiau bach pren, porslen ac ifori neu arian i gadw'r te drud dan glo – llawer ohonynt o wneuthuriad cywrain iawn, i'w gwerthu i'r rhai ffodus a oedd yn ddigon cefnog i'w prynu.

Sylfaenwyd Cwmni John gan y frenhines Elisabeth I a rhoddodd hi fonopoli i'r cwmni ar yr hôll fasnach i'r dwyrain o Benrhyn Gobaith Da ac i'r gorllewin o Benrhyn yr Horn. Unwyd y cwmni hwn â Chwmni Dwyrain India yn 1773 ac aeth mewnforion te ar gynnydd mawr. O'r herwydd, gostyngodd y pris ac yr oedd yn ddiod i'r bonedd a'r werin fel ei gilydd yng Nghymru erbyn diwedd y ddeunawfed ganrif.

Yn y trefi a'r dinasoedd yn yr ail ganrif ar bymtheg agorwyd tai coffi – lle yfid te hefyd – a elwid yn *penny universities* am mai ynddynt y byddai gwybodusion, llenorion a gwleidyddion yn cyfarfod i roi'r byd yn ei le: *Button's* yn Russell Street, Llundain, man cyfarfod i feirdd a llenorion fel John Dryden, Alexander Pope, Richard Steele a Joseph Addison; *Garraway's*, a sylfaenwyd gan Thomas Garway, masnachwr mewn te, coffi a thybaco, ac eraill. Yn 1688 yr oedd tŷ coffi yn Tower Street, Llundain, dan ofal Edward Lloyd, lle byddai masnachwyr, bancwyr, morwyr ac yswirwyr llongau yn cwrdd i drafod busnes yn anffurfiol. Symudodd i Lombard Street yn gynnar yn y ddeunawfed ganrif a bu farw Lloyd yn 1713. Yn y tŷ coffi hwn y cychwynnodd y cwmni yswiriant rhyngwladol *Lloyd's of London*.

WILLIAM AUBREY,

DRAPER

TEA DEALER, GENERAL GROCER, & IRONMONGER,

CAMBRIAN HOUSE,

LLANSADWRN.

Cyn bo hir iawn, dechreuodd siopwyr diegwyddor – a Chymry yn eu plith – ddifwyno'r te drwy ei gymysgu â phob math o sothach er mwyn ychwanegu at y pwysau a gwella eu helw. Byddent hefyd yn ailbacio ac yn ailwerthu dail a ddefnyddiwyd eisoes. Gwyddai Eos Iâl (David Hughes) yng nghanol y bedwaredd ganrif ar bymtheg am yr arferion diegwyddor hyn, fel y dengys ei gerdd ddifyr yn *Drych y Cribddeiliwr*:

Nôl cael te cryf dy hunan,
Cadw y ddail mewn cwpan,
I'w crasu'n araf wrth dân glo;
Gwna hynny'r tro i'r truan.

Cei felly ei ffrwyth cyntefig
A gwerthu ei soeg crasedig
I'r tlawd mewn ing, bydd da ei gael,
Ha! dyna fael dauddyblig.

Cymysga'r te i'r prynydd,
Y ddwy a'r tair â'i gilydd,
Myn dair a dimai yr owns am hwn,
Nid yw yn ffasiwn newydd.

Eos Iâl, *Drych y Cribddeilwr,
yn dangos castiau twyllodrus y
masnachydd anghyfiawn, mewn
dull o ymddiddan rhwng y
meistr a'i brentis*
(Llansanffraid, 1859)

TE CYMREIG

Megis yn Lloegr, aeth rhai masnachwyr gonestach yng Nghymru ati i gynhyrchu eu cymysgedd eu hunain o ddail te. Un ohonynt oedd *Te Dwyryd*. Yn Eisteddfod Dyffryn Elwy, 1898, bu 'Ap Cledwen' ac R. Abbey Williams yn gyd-fuddugol ar englynion i'r te hwn.

Rhed torf am y 'Dwyryd Tea', – pur ydyw,
    Priodol i'n llonni;
    Seiniau miloedd sy'n moli
    Ei hyglod nerth, drwy'n gwlad ni.

Ap Cledwen

Gwrêng a bonedd drwy'r wlad heddiw – ŷnt oll
    Am y te digyfryw;
    Ynfyd am De Dwyryd yw
    Y *ladies*, – di-ail ydyw.

R. Abbey Williams

Yn nes ymlaen, yr oedd 'Te'r Werin' yn boblogaidd ac yn cael ei werthu yng ngogledd Cymru, er enghraifft yn Siop Bryn Pistyll, Waunfawr.

Te'r chwarelwyr

Mewn adroddiad ar fwynfeydd llechi sir Feirionnydd (1893), holwyd y chwarelwyr yn fanwl am eu hoffter o de. Arfer y gweithwyr, meddid, oedd gyrru bachgen i'r caban i wneud te; rhoddid y te, y siwgr a'r dŵr gyda'i gilydd i ferwi yn y tegell a gadael y cwbl wedyn i drwytho am hanner awr. Ond roedd yfed te gartref ac yn y chwarel dair neu bedair gwaith y dydd, gyda dim mwy na bara menyn neu ychydig gig tun, yn achosi diffyg traul, dyspepsia, ac *enfeeblement of body and mind*.

Gymaint oedd poblogrwydd y dail, meddai'r adroddiad, fel bod y bobl yn amharod i roi'r llestri i'w cadw ar ôl eu defnyddio! Byddai'r chwarelwyr yn yfed 'te bach', sef cwpanaid gyda byrbryd ganol bore. Ar ffermydd, 'te deg' oedd yr enw ar yr ysbaid canol bore, byrbryd rhwng brecwast a chinio.

Yn Japan, credir bod yfed hanner peint o de gwyrdd y dydd yn gwella'r traul a dywedir bod y fflworid mewn te, yn enwedig te gwyrdd, yn gymorth i gadw'r dannedd rhag pydru. Honnir hefyd fod yfed te'n lleihau colesterol ac yn amddiffyniad rhag rhai mathau o ganser, strôc a chlefydau'r galon. Yn ôl ymchwilwyr o Brifysgol Cymru, Bangor, mae yfed te yn gymorth i ganolbwyntio ar fwy nag un peth ar y tro. Pawb at y peth y bo!

A NICE CUP OF WELSH TEA.

Gwlychu'r te

Ar lafar yn gyffredin, 'Mae'r te'n wlych' yn y Gogledd a'r Deau; yn Nyfed 'Odi'r te'n wlych? *Is the tea steeping?'*

Geiriadur Prifysgol Cymru

I Wneud Te

Dylai'r tebot gael ei gadw yn berffaith sych heb fod y caead arno; y dwfr i fod yn feddal, ac yn berwi am y tro cyntaf. Rhodder llwyaid, heb ei bentyrru, o'r dail i mewn ar gyfer pob person mewn oed, a llwyaid i'r tebot; yna llanwer â dwfr yn ôl nifer y cwpanau fydd eu heisiau. Os tebot plated a ddefnyddir, rhodder gorchudd *(tea cosy)* drosto am saith munud; neu os mewn tebot pridd y bydd, gadawer iddo sefyll mewn lle poeth am yr un amser; ond gofaler iddo beidio ystiwio. Na adawer iddo sefyll yn hwy na hyn; onid e bydd y *tannin* sydd yn y te yn dyfod allan, ac nid ystyrir ef o ddim daioni, ond i'r gwrthwyneb. Gellir tywallt y trwyth i debot poeth arall, os bydd eisiau ei gadw yn hwy; neu rhodder y te mewn cwd mwslin, a'i dynnu allan. Rhodder siwgr gwyn, a hufen, neu laeth, bob amser ar y bwrdd gyda the.

S.M.M., *Y Tŷ, a'r Teulu* (1891)

TE Y MODD I'W WNEUTHUR

Rhodder ychydig o ddwfr poeth dros y pot te, er mwyn ei dwymo. Tafler y dwfr. Yna, doder tair llwyaid o de ar gyfer pob pedwar o bersonau fydd yn cyfranogi ohono. Rhodder ychydig o ddwfr berwedig ar y te, a gadawer iddo sefyll am dri munud. Yna, ychwaneger dwfr ato.

Mrs S.A. Edwards,
Coginiaeth a Threfniadaeth Deuluaidd
(1889)

❋ ❋ ❋ ❋ ❋ ❋ ❋ ❋ ❋ ❋ ❋ ❋ ❋ ❋

Te – i'w wneud

Y mae teapot metal yn well nag un pridd i dynnu allan nerth y te. Y mae swm y te ddylid ddefnyddio yn dibynnu yn hollol ar nifer y cwmpeini. Y mae'r hen ddull o roddi llond llwy de dda ar gyfer pob un o'r cwmni a llwyaid dros ben, yn rheol eithaf doeth. Cyn gwneud y te, tywelltwch hanner peint o ddwfr berwedig i'r teapot, a gadewch iddo sefyll am ddau funud. Tywelltwch y dwfr ymaith, a dodwch y te i mewn ar unwaith. Caewch y caead, a gadewch am funud i boethi, yna tywelltwch arno hanner peint o ddwfr berwedig. Gadewch iddo sefyll am dri munud, ychwanegwch ddigon o ddwfr i lenwi y teapot, a bydd y te yn barod i'w ddefnyddio . . . Dylid cofio bob amser na fydd y te yn dda os na fydd y dwfr yn berwi.

Llyfr Coginio a Chadw Tŷ. Gan awdur *Llyfr Pawb ar Bob-peth* (d.d.)

Te – dull arall i'w wneud

Gwneler trwyth cryf o de trwy dywallt dwfr berwedig ar y swm gofynnol o'r dail, gadael iddo sefyll am ugain munud, tywallter llai na hanner llond y cwpan o'r trwyth cryf yma, a'i llenwi i fyny â dwfr poeth: fel hyn bydd y te yn boeth ac yn gyfartal gryf hyd y diwedd.

Llyfr Coginio a Chadw Tŷ

te oer

Cafwyd tywydd anghyffredin o boeth adeg Ffair y Byd yn St. Louis, Unol Daleithiau America, yn 1904. Yr oedd Richard Blechynden, perchennog planhigfa de, wedi gobeithio gwerthu te poeth i'r ymwelwyr â'r ffair. Oherwydd y gwres mawr, taflodd lwyth o iâ i mewn i'r te a dyna ddyfeisio te rhewoer, te iâ neu *iced tea*.

TE I BREGETHWYR

I bregethwyr a meddylwyr, a rhai yn gweithio mewn mannau clòs, y mae cwpanaid neu ddwy o de oer heb laeth na siwgr yn fwy adfywiol a chynhyrfiol na *sherry* neu unrhyw win arall, tra nad oes perygl iddo gynhyrchu y trymder a'r anallu i weithio a gynhyrchir gan ddiodydd meddwol. Deuir yn hoff o'r ddiod yma yn fuan, ac y mae yn ddiniwed hollol, ac ar yr un pryd yn sirioli a chynhyrfu y galluoedd meddyliol.

Llyfr Coginio a Chadw Tŷ

Awdur y llyfr hwn yw'r Parchedig Thomas Thomas (1839-88), gŵr o Gaernarfon a gweinidog gyda'r Wesleaid a fu'n gwasanaethu mewn amryw o ardaloedd yng Nghymru, yn cynnwys Caerdydd, Aberystwyth a Llanidloes a chylchdeithiau yn Lloegr. Ef hefyd a ysgrifennodd *Llyfr Pawb ar Boppeth* y cynhwysir dyfyniad ohono yn y gyfrol hon.

Cwpanaid Llond cwpan. Ar lafar yn gyffredin yn y ffurf paned, panad.
Dysglaid Llond dysgl. Dysglaid o de: ar lafar yn y Deau.
Troi cwpan wen; troi'r cwpan te: to tell a person's fortune by means of a cup or tea-cup.

Geiriadur Prifysgol Cymru

DISHGLID O DE

Hoff gan aml un o drigolion cymoedd y De-ddwyrain yw adrodd am y gogleddwr diniwed hwnnw a oedd newydd ddod i weithio yn y pyllau ac a gafodd y croeso arferol gan wraig y llety. 'Ifwch chi ddishglid o de?' oedd y gwahoddiad. 'Wel, diolch yn fawr am gynnig,' ebe yntau, gan ddechrau amau ai doeth wedi'r cyfan oedd mentro i'r Sowth, 'ond mi neith panad y tro yn iawn!'

Beth Thomas, Peter Wynn Thomas, *Cymraeg, Cymrâg, Cymrêg* (1989)

TE CRYF A GWAN

Yr oedd dysglaid o de yn eli at bob clwyf, pisho crics, te gola leuad yw te gwan; te fel breci yw te cryf iawn sydd wedi sefyll yn hir.

Mary Wiliam,
Blas ar Iaith Blaenau'r Cymoedd (1990)

'Pi-pi cath' a ddywedai fy mam (a hanai o Ferthyr Tudful) yn ddicllon am de gwan, ond ni fyddai'n diolch i mi am ddatgelu hynny. Mae rhai o drigolion Môn yn fwy parchus; 'te cath' yn syml a ddywedant hwy. Mewn ardaloedd eraill 'te main', 'te fel dŵr pwll' a 'te slot' yw te gwan. Mae'n siŵr mai dim ond gwlad o anghydffurfwyr a allai alw te gwan yn 'biso offeiriad'. Dywed rhai fod te gwael, heb ryw lawer o flas arno, 'fel dŵr golch'. 'Te llongwr' yw te sydd wedi sefyll yn rhy hir, *stewed tea*. Fy ffefryn i yw cyfraniad gwych pobl Trawsfynydd fod te gwan, heb odid ddim lliw, yn de 'wedi gweld plismon', ac mae'n dilyn wedyn fod te gwan iawn 'wedi gweld yr inspector'. Arferai Mam ddweud y dylai te cryf, da, fod yn ddigon cryf i'r llwy sefyll ynddo. Ym Meirionnydd, mae te cryf yn de 'fel troed stôl'. Dywedir 'te fel breci' (sef cwrw newydd heb eplesu) yng Ngheredigion yn ogystal.

Mathau o De

Mae dau fath o de, sef te gwyrdd a the du, a dosrennir y rhai yma gan fasnachwyr i niferoedd o wahanol fathau yn ôl eu gwerth. O'r blaenaf mae ganddynt dri math, a alwant yn *Imperial, Hyson* a *Singlo*; ac o'r olaf pump, sef y *Souchong, Cambro, Congou, Pekoe,* a *Bohea*. O'r gwyrdd, yr *Imperial* ydyw y gorau a'r mwyaf drudfawr, ac o'r du y *Souchong* sydd felly. A'r gwaelaf ydyw y *Bohea*.

'Pa fodd yr hulir y bwrdd?'
Cyfaill yr Aelwyd,
(1885)

Oolong

Y mae trydydd math o de, sef Oolong, sydd rhyw hanner y ffordd rhwng te gwyrdd a du ac sydd yn boblogaidd yn Tsieina a Japan. Te du yw'r math a yfir yn gyffredin yng ngwledydd y gorllewin ac y mae mwy na thri chwarter y te a gynaeafir yn y byd yn gorffen yn de du. I wneud te du y mae'r dail yn cael eu malu'n fân a'u hocsideiddio'n llwyr cyn eu sychu. Te heb ei ocsideiddio yw te gwyrdd.

Awgrymiadau i Yfwyr Te

Gochelwch de uchel ei bris, yn enwedig te gwyrdd, trwy fod y rhai hyn yn derbyn eu blas a'u harogl uchel oddi wrth sylweddau niweidiol. Mae pob math o de gwyrdd i raddau yn niweidiol; gweithreda yn nerthol ar y *nerves*, a niweidia'r ystumog. Mae te du da nid yn unig yn ddiogel, ond yn iachusol; ond dylid ei gymryd bob amser gyda swm priodol o siwgr a llaeth.

Y FFORDD ORAU I WNEUD TE

Y *teapot* gorau yw yr un metl; ceidw'r gwres yn hwy na llestr pridd. *Teapot* arian yw'r gorau, trwy y gall *teapots* metelaidd eraill gynnwys defnyddiau o duedd niweidiol. Wrth wneud te, ysgaldiwch y *teapot* yn gyntaf peth, yna rhoddwch y te i mewn; hanner llond llwy te ar gyfer pob person ag sydd i gyfranogi ohono, gyda llwyaid ychwanegol os dau yn unig fydd yn bresennol. Tywelltwch y te i'r *teapot* mewn llond cwpan goffi o ddŵr berwedig, ac os bydd y dŵr yn galed, ychwanegwch binsiad o *carbonate of soda*. Gadewch i'r *teapot* sefyll ar y pentan neu o dan orchudd gwlanog am ddeg munud. Ychwanegwch ddŵr berwedig yn ôl nifer y cwmni. Os oes rhaid i chwi, oherwydd bychandra y *teapot*, roddi dŵr eilwaith ar y te, gwnewch hynny wedi i chwi hanner llanw y gwpanaid gyntaf. Felly bydd i chwi allu gwneud pob cwpanaid o gyfartal nerth. Os bydd angen am ychwaneg o de, dodwch i sefyll mewn cwpanaid o ddŵr poeth cyn ei ddodi i mewn.

Mewn trefn i sicrhau cwpanaid o de da, dylai pob gwraig brynu te du mewn gwahanol siopau, a'i gymysgu. Dylid cadw te mewn llestr tin clòs.

Thomas Thomas, *Llyfr Pawb ar Bob-peth* (1875)

Te a'r gwragedd annuwiol

Pan oedd te'n dal yn ddiod ddrud cysylltid yr arfer o'i yfed â mursendod gwragedd a'u 'te cleberddus', chwedl Pantycelyn. Cawn yr un agwedd gan Forrisiaid Môn, yr anterliwtwyr a baledwyr y ddeunawfed ganrif a'r bedwaredd ganrif ar bymtheg. Mae'n siŵr mai dyma'r unig dro i Bantycelyn a'r baledwyr gytuno â'i gilydd. Fe welir yr un ddelwedd ar y cardiau post poblogaidd yn gynnar yn yr ugeinfed ganrif.

MORRISIAID MÔN A THE

Ceir llawer o sôn am de yn llythyrau'r ysgolheigion a'r llenorion o Fôn, y brodyr Morris, Lewis, Richard a William. Yr oedd te yn un o'r *most common necessaries* meddai Lewis wrth William ym mis Mehefin 1757, er ei fod yn costio rhwng pump a phedwar swllt y pwys. Yr oedd yn hoff ganddynt wahodd cyfeillion a thylwyth i yfed *a dish of tea*. Ei yfed allan o ddysgl, llestr crwn neu fowlen a wneid; ni ddaeth y cwpan clustiog yn gyffredin am rai blynyddoedd. Yn y cyfnod hwn, gan ei fod yn dal yn weddol ddrud a'r doll arno'n uchel, yr oedd smyglo te yn weithgaredd poblogaidd iawn. Mewn llythyr at Richard ym mis Mai, 1758, dywedodd William: 'Dyma'r brawd yng nghyfraith wedi gwneuthur wythnos i ddoe *seizure* o *deas*, sidanau, etc., a ddaethai o Fanaw yn werth y mawr arian . . . Mae'r wlad hon wedi mynd yn ffau rhedegwyr, *the gentry turned smugglers*; ffei, rhag cywilydd, ond ê?'

Credai Lewis fod te o Baraguay yn feddyginiaeth dda at afiechydon y frest: *'and my wife cannot find the difference between it and the fine green teas. It is certainly a noble pectora... It is a green leaf chop'd very small, and yet settles so as not to come out at the spout of the pot'*. Ysgrifennodd Richard ato o Lundain ym mis Mawrth, 1762, i ddweud na allai gael hyd i ddim: *'the Paraguay tea... is entirely banished the shops, with all its good qualities'*. Tua diwedd mis Tachwedd, 1762, cwynodd William wrth Richard fod 'y ceiliog brith... wedi dwyn y tost oedd o flaen y tân i'm brecwast, a minnau ymron llewygu am tano efo thê'.

Pantycelyn ar de

Addas hefyd yw bod y rheiny hwythau (y gwragedd) yn hunanymwadol ac yn ostyngedig, gan roi esiampl dda i wragedd eraill yn eu holl ymarweddiad ... caru eu gwŷr priod, ac ufuddhau iddynt yn yr Arglwydd, heb wisgo yn uchel, yn goeg ac yn falchedd; heb ymddangos yn flysgar, yn chwannog i fwydydd neu ryw ddanteithion; na bod yn awyddus i'r *tea* a'r *coffee* cleberddus, ar ôl arfer gwragedd annuwiol y byd ...

William Williams, *Drws y Society Profiad* (1777)

cleberddus, clebarddus, clabarddus. Clepgar, gwag-siaradus, chwedleugar.

TE YM MHANTYCELYN

Hysbysodd un o wyresau Williams wrthyf iddi glywed ei mam yn adrodd i ymddangosiad dodrefn, neu 'ystafell' y wraig ifanc, ac yn enwedig y 'llestri te', greu nid ychydig o arswyd ym Mhantycelyn . . . daroganent loddest, gwastraff, ac yn y pen draw dlodi. Yr oedd digon o gwrw cryf, ond iachus, yn cael ei gadw yn y tŷ cyn ac ar ôl priodas y bardd, ac yn lle te yn y prynhawn, bara a chwrw oedd y *substitutes* mwy *handy* a mwy derbyniol gan lawer na thrwyth y 'ddalen o'r India' . . . Goruchwyliaeth newydd oedd un y 'te a'r siwgr', ac arswydid rhagddi, gan na wyddai y diniweidiaid pa beth allasai fod ei diwedd – efallai toddi y ffarm fel melysydd y te – pwy allasai ddweud yn amgen? Oblegid nid oedd dim *trust* i ryw ddeiliach dieithr o eithafoedd y ddaear. Daeth y bardd ei hun i fod yn hoff iawn o'r 'ddalen o'r India'; a chan ei fod mor *'thorough man of business'*, ag a oedd o efengylwr ac emynwr, arferai brynu cistaid gyfan ohono ar y tro, ac yna, wedi diwallu ei angen ei hun, rhannai ei gynwysiad rhwng ei gyfeillion . . .

J.R. Kilsby Jones, *Holl Weithiau Prydyddawl a Rhyddieithol y Diweddar Barch. William Williams, Pantycelyn* (1867)

Yr oedd John Williams, Dolgellau (Ioan Rhagfyr, 1740-1821), yn gerddor medrus 'y cerddor mwyaf talentog yn ei oes', meddid. Ond yr oedd yn fardd toreithiog yn y mesurau caeth ac yn un o'i gywyddau ysgafn ceir ganddo ef hefyd y darlun cyfarwydd o fagad o ferched yn cwrdd uwchben y 'crochan pig' i glebran. Cyfansoddwyd 'Cywydd Berw'r Merched' yn 1764 ac os gellir credu'r bardd yr oedd te yn ddiod gyffredin a thra phoblogaidd erbyn y cyfnod hwn.

chwid(i)r: gwamal, ffwdanllyd, penchwiban.
eurych: yma tincer, nid gof aur; enw difrïol ar ddyn.
darllen dwylith: cyfeirir yma, mae'n debyg, at yr arfer o ddweud tesni, sef dweud ffortiwn rhywun o'r dail te sydd yn weddill ar ôl yfed y cwpanaid.

Cywydd Bwrw'r Merched
'Crechwen â'r crochan pig'

Y chwidir lân ferchede,
Gywira'u dawn, a gâr de;
Pob rhyw feinwar a gare
I'w dydd, gwpaned o de.
Wiw goflaid, o châi gyfle,
Da gan wenfron dirion de.
Pob rhyw fun a ddymune
Gael i'w chell dunnell o de;
Pob gwreigian ddiddan ddyddie,
Fo gâr hon yn dirion de;
Pob gwrachod, hynod henwe,
O fewn eu dydd a fyn de.

Neswch, bob gwlad a nasiwn,
Clywch gyffes a hanes hwn.
Swydd pob prydydd, cynnydd cu,
Pryd addas, yw prydyddu.
Fy swydd inne sydd unig –
Crechwen peth â'r crochan pig . . .

Arfer gwragedd Gwynedd gu,
Coeliwch, nid rhaid mo'r celu,
O wraig eurych, anwych ŵr,
Chwiliwch, at wraig uchelwr,
A phob gradd, yr wy'n adde,
Hylaw ŷnt oll, hwyliant de . . .
Naws barod, nos a bore,
A phrynhawn tiriawn, yw te.

Pan ddêl y rhain, wiwgain wawr,
Draw i swnio dros unawr,
Dilys fydd darllen dwylith
O'r cwpan brau, anian brith;
Dadwrdd wedi, a dwedyd,
Hynaws beth, hanes y byd;
Dwedyd ffortun, gytun go' –
Cywilydd i'r sawl a'i coelio;
Hel chwedlau, geiriau gorwag,
Dan wichian, o gwpan gwag;
Dwndro a swnio'n eu swydd,
I'w ga'lyn, fyrdd o gelwydd;
A thyngu, mae'n waith anghall,
A lladd bob un ar y llall.

22

Iolo Morganwg

Yr oedd Iolo yn yfwr te anniwall, fel Samuel Johnson. Byddai'n yfed y ddiod drwy'r dydd ac yr oedd ar ei orau fel cwmnïwr pan oedd yn sipian te. Dywedir i un wraig ddweud wrtho ei bod yn rhoi iddo ei unfed gwpanaid ar bymtheg. Cymerai Iolo ddigonedd o siwgr a hufen neu laeth yn ei de, *'which he considered as adjuncts of nutrition to the exhilarating property of the tea'*, meddai Elijah Waring, ei gofiannydd.

Morgan Enw cellweirus ar degell oedd Morgan. 'Mae Morgan o'i go' (am degell yn berwi). Digwydd hefyd yn y ffurf 'Morgan Jos'. Yn nwyrain Morgannwg clywir 'Mocyn'.

Geiriadur Prifysgol Cymru

"Oh! inteet you must stay to tea! The morgan wass just on the bile!"

29.2.04.

23

Y baledwyr a the

Ym maled Huw Jones o Langwm, 'Cerdd newydd, ar ddull ymddiddan rhwng merch fonheddig a merch y tenant' (1773), y mae merch y perchennog tir yn lladd ar y llall am ei bod hi ac eraill go dlawd yn gwastraffu eu harian prin ar brynu te:

Mae llawer gwraig dylawd yn caru'r te fel brawd,
Mae ynte'n pinsio wrth dalu amdano, yn pluo a chneifio ei chnawd,
Ond ffitiach, d'weda'n ffraeth, i'w llyn gael bara a llaeth.

Ond y mae merch y tenant yn ddigon abl i'w rhoi yn ei lle gan ddannod ei harferion ofer iddi, gydag amddiffyniad glew o fwynhau'r ddiod gymdogol newydd. Y mae'n amlwg fod yfed prynhawnol de eisoes yn arfer cyffredin ymhlith y merched:

I'r neb sy'n gallu fforddio, peth ffeind yw tw'mo te,
Ceir cwmni diddig gwraig barchedig, mwy llithrig yn y lle,
Cawn ambell awr yn llawen, fyw'n hunen i'w fwynhau,
A siarad llawer, os bydd amser yn tyner ganiatáu
Difyrrwch ydi ei drin, mae ei flas yn well na gwin,
Gwell gen i eto, na'i droi heibio, yn nharo ar 'y nhin.
Y neb sy'n dallt yn iawn, mae ynddo'n ddiau ddawn,
Cwpan gynnes, tesni lodes, yw'n brenhines ni brynhawn.
Tra gallom yn ddi-feth dalu rhent a threth,
Neu dalu'r degwm i deulu'r diogi, mi fynna' heb oedi beth.

'Morgan Rondol' oedd enw baledwyr y ddeunawfed ganrif ar ferw'r merched, neu de, fel y tystia baled arall â'r teitl 'Cerdd Newydd, neu hanes fel y tyfodd ymrafael mawr yng Nghymru rhwng dau ŵr bonheddig, anrhydeddus; un Cymro ganedigol o'n gwlad ni, a elwir yn gyffredin Syr John yr Haidd, neu Gwrw, a'r llall, gwag ymdeithydd o wledydd pellenig tros y môr a elwir Morgan Rondol yn Gymraeg, neu Saesneg *Tea*, yr hwn sydd yn ceisio trawsfyned yn Farchog, yn lle Syr John. I'w chanu ar Hityn Dincer.'

Dyma'r ddadl rhwng te a chwrw a dyfai wrth fod y 'gwalch o'r India', yn ôl baledwr dienw yn y gerdd flêr hon, yn dod yn rhatach ac yn fwy poblogaidd ym mlynyddoedd olaf y ddeunawfed ganrif. 'Gŵr o'r rhwydda' yw Syr John, sy'n ymffrostio ei fod 'yng nghwmpeini'r ducied gore, a llawer dwsin o'r duwiese'. Ateb Morgan Rondol yw ei fod 'yn denu gwŷr i dai tafarne', yn gyrru 'pawb yn ddiweddnos i feddwi a thuchan' ac yn dwyn 'bara plant o'u penne'. Gwyddai Huw Jones o Langwm, a fu farw yn 1782, fod yfed te yn dod yn arfer llawer mwy cyffredin a cheir yr un ddadl yn ei faled 'Cerdd Newydd, ar ddull ymddiddan rhwng dwy o'r Dail neu'r Llysiau anrhydeddusaf yn ein gwlad; un a elwir Llysiau'r Bendro, neu HOPS, a'r llall a elwir Berw'r Merched, neu TEA. Yr hon a genir ar Godiad yr Ehedydd, yr HOPS yn dechre':

Yr Hops Pa beth yw'r ddeilen sydd dan ddwylo,
    Mewn pybyr le mae pawb o'r wlad
    Du ddifrad yn dy ddyfrio,
    O na bai waetsiwr yn dy witsio,
    I blesio gwragedd duedd dwys wyt wrth y pwys yn paffio . . .
    Dos i'th grogi, ladi lydan . . .
    Dos i'r India, dwys wiriondeb oedd gwneud undeb â dail
    dwndwr.

Y Tea Taw'r hen Hopsen lwydwen, ledwag,
    Tydi sy'n gyrru pawb o'u co',
    Fo'n iwsio dyfrio deufrag . . .
    Tydi yw'r blaguryn sydd bla garw,
    Am wneud i'r cwrw neidio i'r coryn . . .
    Gwneud i ddynion wirion wario eu tir a'u heiddo,
    Torri heddwch, gwneud trwy ddiogi
    Ddyled ddygyn i danu drostyn, dyna dristwch,
    A'u plant a'u gwragedd ym mhob man yn dioddef
    annedwyddwch.

Yr Hops O taw â'th ynfyd chwdlyd chwedle,
    Yr wyt ti'n waeth na'r hopsen wen
    A'r burum ar ben bore,
    Ni chaiff y gweithiwr, carwr cwrw,
    Na'r neb sy'n talu rhent am dir
    Fawr yfed bir o'r berw.
    Lle bo gwragedd, mwynedd meinion,
    Ti gest dy ddanfon, agwedd ynfyd,
    I droi dy getel a'i big atyn,
    A chadw morwyn hoywfwyn hefyd
    I hel yr hufen hyd yr ha' ac i dostio bara o buryd.

Y Tea O taw â dy gerydd ti a dy gwrw,
    Gwnaeth lawer dyn i golli ei glod,

Gwae'r deilied fod yn dy alw,
Gyrru a rorio, gwario yr arian tua diwedd nos.

Ac ymlaen â'r ddau elyn i ddifenwi ei gilydd, nes bod y te'n cael y gair
olaf:

Taw'r hen Hopsen faeden fudur,
Mae tynged flin wrth drin dy drwyth,
Neu lyfu ffrwyth dy lafur,
A phendroi dynion, ffwndro eu donie . . .
Mae yn y Teapot wrth ymdroi
Ddifyrrwch o'i ddiferion . . .
Gwell na sug yr Hops yn siŵr,
I ni dendio ar Ddŵr y Dwndwr.

Puryd: Yr ŷd neu'r grawn gorau, puraf.

Deiliach India Bell

Yn gynnar yn y bedwaredd ganrif ar bymtheg, canodd Jac Glan-y-gors
am yr adeg gynt 'Pan oedd Bess yn teyrnasu', sef y frenhines Elisabeth I:

Ni bu yr hen bobl erioed yn yfed brandi,
Ni chadd yr hen wragedd fawr o de a choffi . . .

Ac am wragedd 'Yr Hen Amser Gynt':

A'u bwyd oedd gig a chaws (pa well?)
Llymru ac uwd ar hynt,
Ac nid trwyth deiliach India bell
Sy'n treulio llawer punt.

Ond eisoes yn gynnar yn y bedwaredd ganrif ar bymtheg, gallai bardd fel
Lewis Williams, 'Lewis y Bardd Bach', ganu cerdd o fawl i de fel diod
bonedd a gwreng.

Clodforedd i'r Tea

Mae gwragedd bon'ddigion
Mor llawnion eu lle,
Trwy Loegr a Chymru
Yn tynnu ar y Tea;
Mor wych yw'r newyddion
I dlodion ein gwlad,
Am Dea ni bydd prinder,
Ond llawnder wellhad.

Fe haedda'r te fawrglod,
Mor hynod yw hwn;
Pryn llawer merch gynnes,
Gron baenes, gryn bwn;
Y sugar trwy'r gwledydd
Ar gynnydd a gawn,
O fewn i'n hardaloedd
Pob lleoedd fydd llawn.

Cyfnewid a fynnwn,
Ni dreiwn bob tre',
Peth hyfryd rhagorol,
Naturiol yw Tea,
Ni geisiwn heb oedi,
Eleni fyw'n lân,
Heb gofio trwy'n bywyd
Y blinfyd o'r blâ'n.

Holl wragedd mwyn dawnus,
Cariadus erio'd,
I Jupiter beunydd,
Trwy'r gwledydd rhown glod;
Offrymwn ein moddion,
Yn ffyddlon trwy ffydd,
Cawn ganddo Dea ddigon,
Yn dirion bob dydd.

Lewis y Bardd Bach (Lewis Williams)

Ceir y gân fawl hon i de yn *Y Gell Gymysg*, un o lawysgrifau Tomos Glyn Cothi, casgliad a luniwyd ar ddiwedd y ddeunawfed ganrif a blynyddoedd cynnar y bedwaredd ganrif ar bymtheg. Un o feirdd ardal Merthyr Tudful yn ail hanner y ddeunawfed ganrif oedd Lewis y Bardd Bach.

Goganu'r merched

Fel y gwelwyd, yr oedd yn hoff gan y baledwyr a'r anterliwtwyr roi eu llach ar arfer y merched o segura a chlebran uwchben y te, ac yn enwedig eu harfer (meddai'r dynion) o gymysgu'r te â diodydd cryfach, 'y *tea* a'r botel frandi' meddai Huw Jones yn ei anterliwt 'Histori'r Geiniogwerth Synnwyr'. Dirmyg, gwawd, yw ystyr gogan, rhywbeth cryfach na dychan. Y mae'n amlwg fod baledwr anhysbys 'Hanes y *Tea Party*' (gogangerdd a luniwyd, mae'n debyg, yn ail hanner y bedwaredd ganrif ar bymtheg), yn cael blas arbennig ar ddifrïo merched Mynwy a Morgannwg. Os gellir ei gredu, yr oedd y te parti hwn dipyn yn fwy cyffrous nag achlysuron tebyg a drefnwyd gan y capeli yn y cyfnod. Nid rhyfedd fod raligampio, a barnu wrth yr hyn a roddwyd yn y te.

Gogangerdd, sef Hanes y *Tea Party*

A gynhaliwyd ar derfynau Mynwy a Morgannwg, ynghyd â'r dull newydd o'i gario yn y blaen, a'r defnyddiau hyfrydol a phwrpasol oedd ganddynt at ei wneuthur. Hefyd, yr hyfrydwch a gafwyd o'u gweled ar ôl ymborthi ar y danteithion drudfawr. Tôn: Tramp o Dre.

Pa beth yw'r holl gynhyrfiad a'r ofer siarad sydd
Gan wragedd rhai o'r gweithwyr, o Ferthyr i Gaerdydd?
Mae'r rhain yn penderfynu, mewn gwawd gwnânt honni hawl
Na ddichon gwragedd Rhymni wneud dim ond berwi cawl.
Camsyniad, onid e? Hwy ânt o le i le,
Dangosant, er ein syndod, eu dull o drafod te.

Aeth pump neu chwech o wragedd, gwirionedd ydyw hyn,
I brynu te i Ferthyr, a thorth o siwgr gwyn,
A hefyd *rum* a *brandy*, er gwneuthur rali rownd,
A speisis braf a *nutmeg*, o ddeg i ddeuddeg pownd,
At wneud y deisen frau, un freiniol a di-fai,
Pum dwsin roed o wyau, 'does neb all amau llai.

Pan ddaeth y dydd i wledda, roedd llestri *China stone*
Oll ar y bwrdd yn drefnus, cysurus ydyw sôn,
A'r lliain bwrdd o sidan, a llwyau arian gwych,
A hufen llaeth a gwirod, ac nid rhyw sorod sych;
Wel, dyma arfer rhai, mor syw, sy'n cerdded tai,
Yn joinio 'nôl eu harfer, i wneuthur teisen frau.

Roedd yno ryw hen Saesnes fel arthes yn eu plith,
Hi gredodd yn ei chalon na chawsai ddigon byth,
Yn gweiddi ar ei chyfer, 'Come make the water boil',
Hi ddaeth â'r botel fwya' yn llawn o Naptha oil;
Ei dywallt wnaeth i'r te, a soda gydag e,
A'u rhoddi i gyd i ferwi, nes o'ent yn drewi'r lle.

Yr oedd y rhain yn feddwon i gyd tan greulon graith,
Heb dân na bwyd yn barod, a'u gwŷr yn dod o'r gwaith,
Roedd rhai yn ymdrybaeddu a rhai yn cysgu'n sownd,
Ac eraill yno'n canu, a chadw rali rownd.
Roedd Pegi'n rhoddi sen waith colli'i ffedog wen,
A Shani fach un llygad â'i ddillad am ei phen.

Fe welwyd Nansi Timoth yn dinnoeth ar y llawr,
Yn galw am y botel o hyd roedd Rachel fawr;
A Mari fach y widw yn galw am ei thad,
Gan chwilio am ei 'sanau, a'i pheisiau am ei thra'd;
A hithau Shani Sam, a Morfudd Gwenau Cam,
A Dina fach, merch Doli, hen wedgen Rowli Ram.

Y rheiny oll yn gydradd yn ymladd fel y cawr,
Digwyddodd i Gwenllian i dorri'r Morgan mawr;
Ysgaldiodd Betsy ei choesau, roedd ganddi gleisiau cas,
Trueni mawr ei chlywed yn treio myned ma's
Pan ddaeth y gwŷr i dre a gweled y fath le,
Y gwragedd wedi meddwi a thorri'r llestri te.

Fe redodd un o'r dynion i ymofyn helffon wych
Oedd ganddo yn y gromen, o ryw las onnen sych,
'Nôl iddo guro ei fenyw â'r ffon yn arw iawn,
Fe'i gyrrodd yn y whilber am hanner milltir llawn,
Ei rowlio wnaeth y gŵr pryd hyn trwy'r llaid a'r dŵr,
Dan whilo'i wraig yn feddw, a hithau'n cadw stŵr.

Fe welwyd Twm a Ianto yn cario eu mam-gu,
Nôl yfed pob o noggin a bod yn fechgyn ffri,
A Dani mawr Sir Benfro yn llusgo dwy neu dair
A'u rhoi gerllaw i'r 'sgubor, yn ochr tas o wair;
Roedd yno'n cadw stŵr, gan alw am rum a dŵr,
Un feiden wedi meddwi oedd am goleri ei gŵr.

Roedd un uwchlaw'r cyffredin yn gwisgo clogyn coch,
Aeth honno wedi meddwi i gysgu i dwlc y moch,
Gorweddodd nesa'r pared, wrth weled mwy o le,
Gan dd'wedyd wrth y mochyn bach, "Dwy byth yn iach heb de';
Yr oedd y fwyn ddi-fraw, 'nôl ddod o'i chaerau draw,
Yn gofyn roedd i blant yr hwch, 'A yfwch o fy llaw?'

Un arall o'r menywod yn dyfod oddi draw,
Gan gynnig hanner dobyn i asyn oedd gerllaw,
A'i alw'n Mr Harris, cysurus ydyw sôn,
'Mi ddawnsia 'nhraed fy 'sanau os gwnewch chwi chwarae tôn',
A-nutting we will go, the valley down below,
Or come along Miss Lucy, or Jig my ffando, O!

Ar hyn dechreuai chwarae un lew o donau'r wlad,
Fe'i chwaraewyd yn y cynfyd mor hyfryd gan ei thad,
Fe dd'wedodd dan awgrymu, mi gofiaf hynny byth,
Na chawsai y telynwr fawr swcwr yn eu plith,
Ond chwarae yn y bla'n, ieuenctyd fawr a mân,
Rhag iddi fod yn garpiog rhowch geiniog am y gân.

Rhaid imi 'nawr derfynu, dan ddwys gynghori'r rhain,
I fynd ymhell i wledda i rywle gyda'r *train*,
A dyfod 'nôl yn sobor, mae hynny'n gyngor hawdd,
Nid cilio wedi meddwi a chysgu yn y clawdd;
Fel hyn mae arfer rhai yn gwario tir a thai,
A'r crys oddi am y cefn er mwyn y deisen frau.

Llanc uwch y Llynau a'i cant

helffon: ffon hela, pastwn hela
cromen: cronglwyd, croglofft
dobyn: gwydraid neu hanner peint o gwrw

Lles ac afles te

Cafwyd traethu huawdl gan rai yn Oes Victoria am y niwed y gallai yfed te ei wneud. Yn wir, cyn hynny, yn ei gyfieithiad o lyfr John Wesley, *Y Prif Feddyginiaeth, sef Physygwriaeth yr Oesoedd Gynt* (1759), mynnodd John Evans (1723-1817), y pregethwr gyda'r Methodistiaid, fod te a choffi yn 'niweidiol iawn i bobl â gewynnau gweinion'. Er hynny, y mae holl lyfrau coginio'r bedwaredd ganrif ar bymtheg yn manylu ar y ffordd orau i wneud y te mwyaf blasus ac y mae'n amlwg fod te wedi dod yn rhan annatod o fywyd y Cymry.

Dywedwyd mwy nag unwaith nad oes dim mewn te i wneuthur yr hyn y mae llawer yn eglur yn disgwyl iddo wneud, sef, cadw dyn mewn nerth ac iechyd. Credwn mai'r hyn sydd yn ei argymell yn bennaf yw ei fod, yn gystal â choffi, gyda bara ac ymenyn, yn gwneuthur pryd o fwyd pleserus a chymeradwy. Pan gymerir ef yn gymedrol, a heb fod yn rhy gryf, dywedir ei fod yn dylanwadu'n dda ar yr anadliad, y treuliad, a gweithrediad y gïau a'r croen; ond heb y gofal hwn, fod niweidiau, yn aml o natur ddifrifol, yn cael eu hachosi. Ymhen ychydig oriau ar ôl pryd o fwyd sylweddol, y mae dysglaid o de yn cynorthwyo iawn dreuliad y bwyd, ac ar yr un pryd yn parhau yn hwy i'r corff y lles a geir trwy'r bwydydd hynny a gymerwyd.

Nid oes dim maeth mewn te; ac yn niffyg bwyd priodol, y mae'n ddi-les. Nid yw'n gymwys fel ymborth i weithiwr, nac i'r rhai sydd yn chwysu llawer. Dyma dystiolaeth meddyg a dadansoddwr enwog arno. Yn ôl hyn, y mae'r rhai sydd yn yfed te amryw weithiau yn y dydd yn ffurfio iddynt eu hunain gyfansoddiadau gweiniaid; ac y maent i'w hadnabod wrth eu hwynebau teneuon a salw.

S.M.M., *Y Tŷ, a'r Teulu* (1891)

Y mae llawer wedi ei ysgrifennu gyda golwg ar ansoddau ymborthol a meddygol te. Tra y mae rhai ffisigwyr wedi ei organmol, y mae eraill yn ei ystyried yn ffynhonnell amryw fathau o afiechyd, ac yn enwedig afiechyd y gïau *(nerves)*. Ystyria Dr Parkes ef yn gymwys iawn i filwyr; a gwyddys fod te oer yn awr yn cael ei ddefnyddio yn lle cwrw ac afalwy gan fedelwyr a llafurwyr eraill sydd yn gweithio yn galed ar dywydd gwresog. Fel rheol gyffredin, y mae te yn niweidiol i blant ieuainc; ac nid yw yn gymwys iawn i'w gymryd hyd nes y bydd person wedi gorffen tyfu; a hwyrach y bydd i bersonau o dymherau cyffrous dderbyn niwed wrth ei arfer ... Y mae'r hen a'r methedig y rhan fynychaf yn cael mwy o les oddi wrth de nag unrhyw ddiod gyffelyb ... Y mae'n sicr mai'r peth mwyaf annoeth a niweidiol i ddynion sydd yn efrydu yn galed ydyw yfed te neu goffi cryf i gadw cwsg naturiol draw. Y mae'r arferiad yn dinistrio ynni a bywiogrwydd y corff a'r meddwl.

Y Gwyddoniadur Cymreig, IX
(1894)

afalwy: seidr

Merched Cymru a the

Mae merched Cymru, yn y cyffredin, o ffurfiad corfforol lled rymus a chadarn – yn fwy felly na merched Lloegr . . . Mae eu hysgwyddau yn llydain, eu dwyfron yn uchel, a chymysgedd hapus o goch a gwyn yn tlws-liwio eu gruddiau . . . Ond rhaid cymryd y disgrifiad hwn o ferched y wlad yn gyffredinol, gan eithrio merched y trefydd, ardaloedd y gweithfeydd a'r parthau Seisnig, oddi wrthynt. Y mae ymborth, gwisgoedd, ac arferion y merched yn y lleoedd hyn yn hollol wahanol, ac oherwydd hynny, gwahanol yw ffurfiad eu cyrff a phrydweddiad eu hwynebau. Ymborthant braidd yn gwbl ar gynhyrchion tramor; ac er eu bod yn cael dŵr o ffynhonnau glân eu gwlad, eto trwythant ef yn ormodol â 'dail yr India', ac yfant yn rhy fynych o'r drwyth honno, fel y tystia eu hwynebau crinlwyd a henaidd.

'Merched Cymru: Eu Cymeriad a'u Sefyllfa Bresennol',
Llyfr Gwybodaeth Gyffredinol, sef Wyth a Deugain o Lyfrau Ceiniog
*Humphreys Caernarfon, Yr Ail Gyfres (c.*1887)

Come and have a Cup of Tea
with me

Pawb yn yfed te

Ni cheir neb yn ein gwlad,
o balas y brenin i fwthyn y
tlawd, nad ydyw yn arfer
mwynhau o'i ffrwyth ef.
Mae, gan fynychaf, ger ein
bron yn y bore, wedi
hynny yn y prynhawn; ac
os bydd rhyw wledd
neilltuol, bydd efe yno yn
brif un, ac uwchben
cwpanaid o de y mae ein
hen wragedd yn treulio yr
oll o'u *evening parties*, ys
dywed y Sais.

Cyfaill yr Aelwyd (1885)

35

Chwyldroad y te

Yn ei lyfr poblogaidd *Helyntion Bywyd Hen Deiliwr*, sonia Gwilym Hiraethog am sawl 'chwyldroad' wrth olrhain helyntion bywyd hen ŵr yr Hafod Uchaf a'i atgasedd tuag at ddatblygiadau newydd a welai'n digwydd o'i gwmpas – chwyldro'r drol a ddaeth i gymryd lle'r car llusg, a hyd yn oed chwyldro'r Ysgol Sul. Ys dywedodd yr hen ŵr: 'Dda gen i mo'r pethe n'w'ddion yma, 'rhen bethe a'r hen ffasiwn i mi'. Un o'r chwyldroadau gwaethaf, yn ei farn ef, oedd dyfodiad te i aelwyd Hafod Uchaf:

Un o'r tai olaf yn yr holl wlad i de ddyfod i arferiad ynddo oedd yr Hafod Uchaf. Yr oedd yr enw *tea* yn ddychryn i'r hen ŵr am rai blynyddoedd; yfed te oedd yr heresi fwyaf ofnadwy o bob cyfeiliornad yn ei olwg ef. Yr oedd yn echrydu ar ei gymdogion a fyddai'n ei arfer. Rhoddodd yr hen wraig ar ei gocheliad yn fynych na fyddai iddi byth gyffwrdd ag ef; a gorchmynnai i'w blant, beth bynnag a wnaent ar ei ôl ef, am ofalu na ddeuai haden o de byth i'r Hafod. Os digwyddai iddo fynd i dŷ cymydog, a chael y teulu yn yfed te, trôi ei gefn yn ddiatreg mewn dicter llidiog, ac adref ag ef, i roddi darlith ar ddrygedd arswydus yr arferiad.

O'r diwedd, un diwrnod aeth yr hen wraig i ymweld â chymdoges iddi, yr hon oedd wedi syrthio i'r pechod o yfed te; perswadiwyd hithau i brofi te am unwaith y prynhawn hwnnw, a syrthiodd mewn cariad ato yn y fan. Rhedai aml brynhawn at ei chymdoges i gael dysglaid o de, ac aeth yn fwyfwy dan ei ddylanwad bob tro. O'r diwedd yr oedd yn rhaid cael peth ohono i'r tŷ; ond yr oedd yn rhaid gofalu na châi yr hen ŵr ddim gwybod. Nid oedd wiw meddwl cael tebot a chwpanau te i'r tŷ, gan y buasai'r hen ŵr yn siŵr o ddod ar eu traws ryw dro, a pharasai hynny flinder nid bychan. Mwydai yr hen wraig y te mewn jwg, a thywalltai ef mewn godard; drôr y dresl fyddai'r bwrdd at y gwasanaeth hwn, ac os clywid sŵn traed yr hen ŵr yn nesáu at y tŷ, caeid y drôr yn y fan, a chloid hi, a thrawai'r hen wraig yr agoriad yn ei llogell.

Un tro, digwyddodd i'r drôr fod heb glo arni pan oedd yr hen wraig allan; daeth yr hen ŵr i'r tŷ ac agorodd y drôr i chwilio am rywbeth. Yr oedd tua hanner llonaid y jwg o de oer: cymerodd yr hen ŵr afael ynddo, bu yn edrych ac yn ceisio dyfalu yn hir pa beth a allasai fod. Dodai ei drwyn yn y jwg i'w arogli; o'r diwedd anturiodd ei brofi, gan sipian ei weflau, ac ebe fe rhyngddo ac ef ei hun, 'Mae'n dda gynddeiriog, beth bynnag ydi o,' ac yna yfodd ef i fyny ar ei dalcen.

Pan ddaeth yr hen wraig i'r tŷ, er ei syndod a'i dychryn, beth a welai ond yr hen ŵr â'r jwg te yn ei law! 'Wel dyma hi!' meddai.

'Be oedd gen ti yn y jwg yma?' gofynnodd yr hen ŵr.

'O, tipyn o de dail,' oedd yr ateb.

'P'le cest ti o?'

'Gwraig Cae Coed 'nysgodd i wneud o y diwrnod o'r blaen.'

'Wel, sut rwyt ti yn ei 'neud o?'

'Dim ond rhoi dŵr berwedig am ben y dail, a rhoi tipyn o siwgr ynddo fo.'

'Pw'r ddail ydyn nhw?'

'Pw'r enw sy arnyn nhw, dydw i ddim yn cofio rŵan, mi fedra' gael gwybod gan wraig y Cae Coed, y hi roes ychydig o'r dail imi i'w dreio i ydrach sut y baswn i yn leicio'r te, ac a 'nysgodd i sut i'w 'neud o, ac roedd hi'n deud fod o'n dda iawn ar les iechyd. Oeddech chi'n leicio'i flas o?'

'Oeddwn yn amhosibl iawn,' ebe'r hen ŵr; nid aethai unwaith i'w ben mai ei brif elyn a fuasai ei wefusau yn ei gusanu. 'Gna dipyn ohono fo weithie,' meddai wrth yr hen wraig.

'Mae'n ddigon hawdd imi 'neud hynny,' ebe hithau. 'Yn boeth y mae o ore, â thipyn o hufen ynddo fo,' ebe hi wedyn, 'mae gwraig y Cae Coed yn ei gymryd o bob bore i'w brecwast hefo bara a menyn.'

'Fedri di gael peth o'r dail ene i'w dreio fo?' gofynnodd yntau.

'Medra', ar un amod,' oedd yr ateb.

'Be ydi honno?'

'Nad ydach chi ddim i gael gweld y dail am ddau fis beth bynnag.'

'Pam hynny?'

'Mi gewch wbod pam hynny os bodlonwch chi i beidio â holi dim ar y mater am ddau fis.'

'O'r gore, o'r gore, mi geith fod felly.'

Gwnaed y te yn yr Hafod bob bore yn rheolaidd am ddau fis; mewn jwg y gwneid ef, ac o odardau yr yfid ef, bob dydd. Yr oedd yr hen ŵr yn cadw cyfrif manwl o'r amser amodedig i adael y peth yn ddirgelwch, ac yn mynd yn hoffach bob dydd o'r te dail. Ar ben y ddau fis gofynnodd am weld y dail; dygodd yr hen wraig bapuraid o de i'r bwrdd. Bu agos i'r hen ŵr syrthio mewn llewyg gan ei fraw a'i ddychryn. Ond nid oedd wiw ffraeo bellach; yr oedd wedi ei ddal yn y groglath, yr oedd bellach yn rhy hoff o'r te i'w roddi heibio – er hynny yr oedd ei gydwybod yn ei gondemnio'n dost am ei yfed. Daeth y ddefod newydd i'r Hafod yn ddiarwybod i'r hen ŵr, ac enillwyd ef yn ddisgybl iddi drwy amryfusedd.

Gwilym Hiraethog, *Helyntion Bywyd Hen Deiliwr* (1877)

:chrydu: synnu; rhyfeddu; arswydo rhag

;odard: gobled; diodlestr pridd

:roglath: magl yn cynnwys gwialen a grogid ynddi i aderyn ddisgyn arni

TE AR Y SUL

Am y prynhawnfwyd, neu 'gynoswyd' fel y'i gelwir ym Môn, gellir dweud mai hwn oedd yr unig bryd yn ystod y diwrnod yr oedd te i gael ymddangos. Ac nid oedd y ddiod hon yn cael ei hystyried yn gyfreithlon ar un diwrnod heblaw'r Sul. Yn nechrau'r ganrif, nid oedd i'w gael ar brynhawn Sul ond yn unig yn y tai hynny oedd am gael eu hystyried yn rhyddfrydig eu syniadau, ac yn awyddus am fynd i ganlyn y ffasiwn oedd yn dyfod i arferiad ar y pryd. Y mae'n wir y byddai ambell wraig yn mynnu cwpanaid o de ar ganol yr wythnos, pan gâi bawb o'r teulu allan. Ond byddai arni gymaint o ofn i neb ei gweld yn sipian y drwyth honno ag a fuasai arni o gael ei dal yn dwyn defaid. Defnyddid amryw gynlluniau i atal pobl ddod ar eu gwarthaf yn sydyn. Cynllun un fyddai rhoi'r celfi te yn y ffwrn, a chau'r drws arnynt cyn gynted ag y clywai rywun yn dod i mewn. Gwnâi'r llall fwrdd te o waelod drôr y bwrdd, a wthiai i mewn cyn gynted ag y gwelai berygl. Ystyrid dynes a wnâi de yn amlach nag unwaith yn yr wythnos yn un hynod o wastraffus. Ac yn wir, nid yn ddi-sail yr ystyrid hi felly. Yr oedd pwys o de ers trigain mlynedd yn ôl yn costio o chwe swllt y pwys i fyny, y siwgr gwyn o bedair ceiniog ar ddeg y pwys, y siwgr llwyd yn ddeg ceiniog, a'r siwgr coch yn wyth geiniog y pwys. Ond byddai'r bobl a brynai fwy nag owns o de a phwys o siwgr llwydwyn, yn cael eu hystyried yn bobl gyfoethog a chyfrifol iawn yn yr amser hwnnw.

Charles Ashton, 'Bywyd Gwledig yng Nghymru',
Cofnodion a Chyfansoddiadau Buddugol Eisteddfod Bangor, 1890 (1892).

YFWYR TE

Am yfed te gwledydd digyffelyb yw Prydain Fawr a'r Taleithiau Unedig . . . Ond er bod yn America fwy o'r hanner o drigolion nag sydd ym Mhrydain Fawr, yfir mwy deirgwaith o de yn yr olaf nag yn y flaenaf. Cura'r Saeson bron pawb am lawcio gwybyroedd o bob math oddieithr dŵr. Hoffant hwy de yr India yn hytrach na the Japan.

Dichon mai'r mater difrifolaf ynglŷn ag ef ydyw ei amhuredd mewn llawer amgylchiad. Nid yw'n ddirgelwch fod y dail a ddefnyddir yng ngwestai mawrion America ac Ewrop yn cael eu cadw, eu sychu, a'u lliwio, a'u rhoddi yn y farchnad drachefn. Ni all nwyddau ail-law felly lai na bod yn wenwynig ac afiachus i'r eithaf. Wrth gwrs, hwnnw yw y rhataf; ond te gwaeth o lawer na dŵr poeth ydyw.

I rai y mae eu gïau yn weiniaid, diau fod te rhy gryf yn amharu ar gwsg. Ond ym mhob ffordd y mae te yn curo cwrw'r Germaniaid. Nid yw yn arwain i gymdeithas mor isel; nid yw yn hanner meddwi ei yfwyr, ac nid yw'n gwneud i'r anadl arogli yn debyg i hen ddail bresych yn pydru mewn dŵr llestri.

Cyfaill yr Aelwyd (Mehefin, 1889)

YNYSGAU, MERTHYR.

CYNELIR

TEA PARTY

A

Chyfarfod Cystadleuol

YR YSGOL UCHOD,

Ar Ddydd Llun Pasc, Ebrill 2, 1866.

Llywydd—Y Parch. P. HOWELLS.

Beirniad y Traethodau, y Farddoniaeth, a'r Adroddiadau,

DAFYDD MORGANWG.

Beirniad y Gerddoriaeth,

TYDFYLYN.

Beirniad y Datganu,

Mr. A. BOWEN, DOWLAIS.

Tocynau i'r Tea a'r Cyfarfod Cystadleuol. Chwe'cheiniog
yr un; i'r Cyfarfod Cystadleuol yn unig, Tair Ceiniog
yr un; Plant dan 16eg oed, Ceiniog yr un.

Tea ar y Byrddau o Dri hyd haner-awr wedi Pump.

Cyfarfod Cystadleuol i ddechreu am chwech.

MERTHYR TYDFIL:

ARGRAFFWYD GAN JOSEPH WILLIAMS, GLEBELAND.

1866.

Gwyliau te yn Oes Victoria

Yn ail hanner y bedwaredd ganrif ar bymtheg yr oedd cynnal gwyliau te yn ffordd boblogaidd gan enwadau crefyddol o godi arian i glirio'r ddyled ar y capeli. Nid oedd pawb yn fodlon ar y partïon cyhoeddus hyn. Dywedwyd fod y Parchedig Evan Harries, gweinidog gyda'r Methodistiaid Calfinaidd ym Merthyr Tudful, 'yn gryf yn erbyn y *tea parties* a'r darlithiau i gasglu arian at achos crefydd' a bod angen 'rhywbeth gwell na the a choffi i droi yr hen *wheel* fawr'. Ni allai Thomas Levi, ei gofiannydd, lai na dweud 'Yr hen greadur!'. Fel y cawn weld isod, nid oedd y Parchedig Roger Edwards (gweinidog Daniel Owen, un o arweinwyr y Methodistiaid Calfinaidd) yn cytuno â barn Evan Harries a'i debyg. Aeth y gwyliau te o nerth i nerth, fel y tystia'r adroddiadau yng nghylchgronau'r enwadau. Gall rhai o'r adroddiadau hyn fod yn syndod o ddifyr yng nghanol y deunydd difrifddwys yn y cyfnodolion crefyddol. Y mae'n amlwg fod pawb wrth eu bodd yn y gwyliau te ac yn mwynhau'r achlysur yn fawr. Efallai mai dyna pam nad oeddynt yn plesio beirniaid fel Evan Harries.

Cwmbrân

Cynhaliwyd *tea party* a *choncert* gan y Bedyddwyr yn y lle uchod ar y trydydd o'r mis diwethaf. Rhwng tri a phedwar cant o bersonau a gyfranogodd o de a bara llysieuog da, wedi eu darparu gan rianod y gymdogaeth. Rhoddwyd y darpariadau gan yr aelodau a'r cyfeillion er mwyn defnyddio arian y tocynnau i leihau dyled y Capel. Cynllun da.

Am 7 yn yr hwyr, cymerwyd y gadair gan Mr Jenkins, Troed-y-rhiw. Yna y cantorion, yn eu blaenori yr Eos T.W. a ganodd bedair tôn nes swyno pob clust, a *lectrifio* pob teimlad. Mae'r canu'n myned rhagddo yng Nghwmbrân, nid yn araf, ond ar y *trot*. Rhwng y tonau, traddododd Isaac Pontypwl, ac Evans, Pont-rhyd-yr-ynn, bedair araith, teilwng o'u hargraffu hyd yn oed yn SEREN GOMER.

Yn niwedd y cwrdd, ddychwelodd E.P. Williams ei ddiolchiadau i'r cadeirydd, yr areithwyr, y cantorion, y rhianod am eu te, a'r ymwelwyr oll am eu sylltau. Ymadawsom wedi ein llwyr fodloni.

Epsilon, Tan-yr-allt
Seren Gomer (1851)

Isaac Pont-y-pŵl. David Lloyd Isaac (1818-76), gweinidog Trosnant, Pont-y-pŵl. Troes at Eglwys Loegr yn 1853. Ysgrifennodd lyfr ar hanes Gwent a Morgannwg, *Siluriana* (1859), ac un arall ar hanes Llanbedr Pont Steffan (1860).

Evans, Pont-rhyd-yr-ynn. David Davies Evans (1787-1858), gweinidog y Tabernacl, Caerfyrddin, a fu'n olygydd *Seren Gomer* 1825-34.

Penderfynwyd mai'r ffordd orau i'w hagoryd oedd cael *tea party*. Argraffwyd tocynnau 'swllt yr un'; dosbarthwyd hwy ymysg plant yr Ysgol Sabothol, ac eraill, i'w gwerthu; a barnem, wrth sylwi ar yr awydd oedd am feddiannu'r tocynnau, y caem gyfarfod lluosog; ac ni siomwyd ein disgwyliadau. Ymgynullodd tuag 800 ynghyd. Yr oedd yr ystafell wedi ei haddurno yn brydferth gan y boneddigesau, a phob peth yn cael ei ddwyn ymlaen yn y modd mwyaf trefnus. Da gennym ddywedyd ddarfod i ni yfed cryn swm o'r ddyled (tua £35) ar noson yr agoriad. 'Peth pur wenwynig' fel y sylwai y Parch. Roger Edwards, 'yw dyled; ond y mae yfed dyled capel neu ysgoldy mewn cwpanaid o *dea* yn beth hynod o iachus'. Bu'r cyfeillion mor garedig â'n hanrhegu â digon o *bun loaves*, ynghyd â bara cyffredin, fel na bu raid prynu dim.

Y Drysorfa (1856)

Te yn y Brithdir

Ym mis Ionawr 1888, trwy garedigrwydd Mrs Pughe, Helygog, rhoddwyd 'gwledd o de a bara brith i tua chant o blant a thua dau gant o rai mewn oed yn Ysgoldy y Bwrdd' yn y Brithdir, ger Dolgellau. Canodd bardd lleol, Graienyn, gerdd i'r achlysur. Dyma bennill ohoni:

Mae rhinwedd dail yr India
Yn gwella llawer poen,
A gwnânt y dyn ffyrnicaf
Yn addfwyn fel yr oen;
Mae pawb ym mhob cym'dogaeth
Yn hoffi dysglaid fach,
Os na chawn honno weithiau
Ni fyddwn byth yn iach.

Mynyddog a the

Heblaw gallu taflu ei lais, roedd Owen Jones yn ddynwaredwr di-ail. Gallai ddynwared unrhyw un, ond ei glywed unwaith. Arferai ddynwared Mynyddog yn canu. Byddai Mynyddog yn cario harmoniwm fechan pan oedd yn canu mewn cyngherddau. Canai ganeuon bach syml o'i waith ei hun, megis:

O Mari rho'r Morgan ar tân
A'r llestri a'r llwyau'n eu lle,
A gwna i'r tegell roi cân,
Er mwyn cael cwpanaid o de.

Elisabeth Williams,
Brethyn Cartref (1951)

BENDITH AR Y TE

Cynhaliwyd ein cyfarfod te cyntaf yn y capel ar brynhawn y Llungwyn, Mai 16eg. Yr oedd y rhagddarpariadau wedi eu gwneud yn ofalus dros ben, fel ag yr oedd pob peth yn barod *cyn* pryd.

Daeth torf luosog iawn – y dorf luosocaf a fu'n yfed te erioed yn yr un man – a dechreuwyd ar y gwaith am hanner awr wedi tri o'r gloch y prynhawn. Yr oedd ugain o foneddigesau mwyaf cyfrifol y lle wedi cymryd byrddau mewn lleoedd cyfleus ar hyd y tŷ cwrdd; ac yr oedd wedi hynny ddeugain o ferched ieuainc yn gwasanaethu ar y byrddau hynny, ac yr oedd hefyd frodyr a chwiorydd eraill yn gwneud eu hunain yn wir ddefnyddiol mewn gwahanol swyddi, er hwyluso'r gwasanaeth yn y blaen.

Difyrrwyd y cwmpeini gan ddau gôr canu, sef Côr Seion Merthyr, y rhai oedd yn *front* yr oriel, a chôr y capel oedd ar yr esgynlawr. Canasant yn hyfryd a dymunol dros ben.

Am wyth o'r gloch, cymerwyd y gadair gan Mr Price, er cael tipyn o fwyd i'r meddwl. Cawsom gwrdd byr, ond yr oedd fel y dywedodd rhywun dro'n ôl, yn *'short but sweet, like a roasted maggot'*.

Cyfarchwyd ni gan James Jones, Aberdâr, a Richard Williams, Trefforest – dau fachgenyn bychan oedd y rhai hyn, yr oeddynt yn ddoniol iawn. Wedi hynny gan y brodyr Evans, Hirwaun; Williams, Trefforest; Jones, Aberaman; Cooper, Aberdâr; Griffiths, Rhymni, a'r cadeirydd.

Wrth gyflwyno diolchgarwch y cyfarfod i'r *ladies* ac eraill, dywedodd Mr Price dipyn o *results* yr ymdrech. Yr oeddynt wedi gwerthu DROS DDWY FIL A HANNER (2,500) o'r tocynnau, ac yr oedd DWY FIL UN CANT A THRI AR DDEG o bersonau *wedi yfed te*, o hanner awr wedi tri hyd wyth o'r gloch y prynhawn, gan fod y cardiau a dderbynnid yn cael eu rhifo bob hanner awr.

Mae Mr Price yn dymuno, drwy'r cyfle hwn, gyflwyno ei ddiolchgarwch mwyaf gwresog i bawb, heb enwi neb – i bawb, canys fe wnaeth *pob un* ei ran yn *dda*, yn *ewyllysgar*, ac yn *serchus*. Diolch yn fawr i chwi oll. Hoff gennym hefyd hysbysu ein bod, wedi talu pob treuliau, yn alluog i dalu dros gan punt o'n dyled. Bendith ar y te, medd MODRYB MAGWS, Aberdâr.

Seren Gomer (1853)

Mr Price Thomas Price (1820-88), gweinidog Capel y Bedyddwyr, Carmel, Aberdâr (Calfaria yn nes ymlaen) o 1846 tan ei farw. Yr oedd yn un o arweinwyr mwyaf gweithgar a llwyddiannus ei enwad, fel trefnydd, awdur a golygydd, ac amddiffynnydd merched Cymru yn erbyn cyhuddiadau'r Llyfrau Gleision, 1847.

Y Te

(Detholiad)

Os bydd gŵr a gwraig mewn ffrae,
Fel mae weithiau'n digwydd;
A'r gŵr am ddangos, fel pe bai
Pwy sydd ucha'i ysgwydd;
Os gall hi liniaru'i wg
Nes daw Moc i ferwi,
Bodda'r te ei natur ddrwg
Ddim ond iddo'i brofi.
Am gael ysbryd dyn i'w le
Yn drefnus, drefnus,
Eithaf peth yw pryd o de,
Melys, melys.

Os bydd gwraig, dro arall, braidd
Fel pe am golynu,
A'i geiriau'n glynu fel col haidd
Wrth i'r gŵr ei llyncu;
Sŵn y llestri yn eu lle
Leddfa'r storm a'r dwndwr,
Todda geiriau'r wraig mewn te
Fel y todda'r siwgwr.
Am gael ysbryd gwraig i'w le
Yn drefnus, drefnus,
Eithaf peth yw pryd o de,
Melys, melys.

Os bydd arnoch eisiau cael
Pob hanesion hynod,
Ceisiwch swp o wragedd hael
I gael te ryw ddiwrnod;
Tinc y llestri te a'r llwy
Sydd fel miwsig diddan,
Yn eu sŵn cewch hanes plwy'
Yn wir a chelwydd allan.
Am gael hanes gwlad a thre'
Yn drefnus, drefnus,
Eithaf peth yw pryd o de,
Melys, melys.

Mynyddog (Richard Davies, 1833-77)

Ymddengys y gerdd
hon yn *Caneuon
Mynyddog* (1866) yn
union o flaen y gân
enwog 'Cartref' a'r
gerdd nesaf yw
'Y Fodrwy Briodasol'.
Yr oedd te yn un o
golofnau'r cartref
Cymreig.

PRYNHAWNOL DE

Dywedir mai Duges Bedford (1788-1861) a sefydlodd yr
arfer o brynhawnol de tua phump o'r gloch yng Nghastell
Belvoir, a hynny er mwyn llenwi'r bwlch rhwng brecwast a
chinio'r hwyr, prif bryd y dydd i'r boneddigion a'r
uchelwyr. Ond dengys baledi'r ddeunawfed ganrif fod
cwrdd i yfed te wedi hen ymgartrefu ymhlith merched
Cymru. Aeth yfed te ar gynnydd eto pan gafwyd masnachu
rhydd i Tsieina yn 1833 ac ni bu newid yn y doll ar de
rhwng 1836 ac 1853. Daeth llestri tsieina dipyn yn rhatach
ac uchelgais llawer gwraig oedd cael set o lestri hyfryd. Yn
1853 yr oedd y doll ar bwys o de yn swllt a deg ceiniog.
Erbyn 1890 yr oedd wedi disgyn i bedair ceiniog y pwys.
Bellach, nid oedd te yn ddiod i'r dosbarth canol yn unig.
Gorseddwyd te fel diod genedlaethol Prydain a yfid gan y
tlawd a'r cefnog fel ei gilydd. Yn y cyfnod hwn daeth y te
parti (ar wahân i wyliau te'r capeli) yn fwyfwy poblogaidd
– nifer o wragedd yn cwrdd i yfed te a rhoi'r byd yn ei le –
a dyma pryd y cafwyd y ddelwedd gyfarwydd, ystrydebol,
mewn lluniau a ffotograffau o ferched Cymru, oll yn eu
gwisgoedd Cymreig a'u hetiau tal, yn eistedd yn dawel
wrth fwrdd ac arno lestri tsieina, tebot a llaeth a siwgr. Myn
haneswyr diwylliant mai amcan y ddelwedd annwyl hon
oedd cyflwyno darlun o Gymreigrwydd dof a pharchus a
benyweidd-dra ufudd ac annwyl, yn sgil cyhuddiadau'r
Llyfrau Gleision (yr adroddiad ar addysg Cymru yn 1847)
fod merched Cymru yn anfoesol. Dyna oedd byrdwn y
dystiolaeth a roes amryw o dystion – eglwyswyr yn bennaf
– i'r tri dirprwywr a luniodd y tair cyfrol o adroddiadau. Yr
oedd y mwyafrif o ferched Cymru yn anniwair: 'Welsh
peasant girls are almost universally unchaste,' meddai R.R.W.
Lingen, un o'r dirprwywyr. Yr oedd y darlun o wragedd a
merched tawel yn yfed te yn chwaethus a pharchus yn
wrthdystiad yn erbyn cyhuddiadau'r tri dirprwywr
Saesneg. Onid dyna oedd y frenhines Victoria ei hun yn ei
wneud, meddai Telynog, y bardd ifanc o dref Aberteifi a
ymfudodd i weithio fel glöwr ym Morgannwg? Ac yr oedd
y fath ddarlun yn dderbyniol iawn hefyd gan arweinwyr y
Mudiad Dirwest.

CÂN Y TE

'I'w hadrodd mewn *Tea Parties'*
(Detholiad)

Mae rhai yn darogan yn brysur
Mae ffasiwn fenywaidd a sych
Yw yfed te iachus er cysur,
A'i fod ef yn peri mawr nych;
Ond nid wyf yn credu'r fath benbleth,
Mae'r syniad yn hollol o'i le,
Cans ffasiwn yw bwyta a phopeth,
Os ffasiwn yw gwledda ar *De*.

Pan fyddo dyn claf ar ei wely,
Heb ganddo fawr archwaeth at fwyd,
Yn egwan, a'i wyneb yn gwelwi,
Yn isel, a'i ruddiau yn llwyd,
Er cael pob danteithion i'w gynnal,
Pob bwyd sydd yn dda dan y ne',
Mae'n gwrthod y cwbl, gan sisial,
'Gwell gennyf gwpanaid o *De*'.

Edrychwch i Lundain fawreddog,
Palasau goreurog y sydd
Yn dyrchu eu pennau godidog,
Gan lathru gogoniant y dydd;
Am fawredd eu cyfoeth pwy ddywed,
I'w harian braidd methant gael lle,
Wel, beth yw eu hymborth hwy, tybed?
Ha! Galwant fynychaf am *De*.

Ewch eto i'r Palas Brenhinol,
Ac O! mor urddasol ei wedd,
Victoria sydd yno'n rhwysgiadol,
Yn dal ei theyrnwialen mewn hedd;
Gofynna y *Nurse* i'w Mawrhydi,
Beth gymer i'w fwyta, er bri,
Mae hithau yn ateb, dan wenu,
'*Please bring me a nice cup of Tea*'.

Drachefn dewch i Gymru fynyddig,
I'r bwthyn tylota'n y wlad,
Nid oes yno aur trysoredig,
Nac ymborth, ond ymborth pur rad;
Ond er bod y teulu mewn angen,
Yn waelach na neb yn y lle,
Amgylchant y bwrdd yn dra llawen
I yfed cwpanaid o *De.*

Pa beth ydyw neges y dyrfa
Ddaeth yma yn fawr ac yn fach?
Mae pob un a'i drem am y llona',
Yn gwenu a chwerthin yn iach;
Wrth ddyfod pa beth oedd yr amcan,
Fel gwenyn yn llanw y lle?
Gall pob un ddweud drosto ei hunan,
Fod arno chwant dysglaid o *De.*

Telynog (Thomas Evans, 1840-65)

Ledis bach y pentre
Yn gwisgo cap a lasie;
Yfed te a siwgwr gwyn
A chadw dim i'r llancie;
Modrwy aur ar ben pob bys
A'u sane i gyd yn rhacsie!

Gwir fod te parti'r merched yn Oes Victoria yn gwbl ddiniwed a di-fai, gyda hwyl a miri mawr y gwragedd a ddisgrifiai'r baledwyr yn mynd i ebargofiant. Eto i gyd, yr oedd y ddelwedd o'r merched 'cleberddus', chwedl Pantycelyn, yn gyndyn iawn i farw a chafodd y dynion hwyl arbennig ar chwerthin am ben y cyfarfodydd clepgar. Un ohonynt oedd Talelian, bardd o'r Groes-wen ym Morgannwg. Ei enw ef ar y te parti benywaidd oedd 'Y Clwb Te'. Chwarae teg i'r aelodau, yn wahanol i ferched yr oes o'r blaen, nid oedd dim cryfach na the'n cael ei yfed yn y clwb hwn.

Y CLWB TE
(Detholiad)

Nid er mwyn pryd o de
Yr ymgynulla'r gwragedd;
Ond cadw yn ei le
Y byd a'i droeon rhyfedd!
Mae Gladstone yn gwneud peth
Daioni, rwyf yn gwybod;
Ond elai'r byd yn feth
Heb senedd y benywod!

Daw pynciau pwysig iawn
I'r bwrdd ym mhob cyfarfod;
Ac nid oes trai ar ddawn
Y gwragedd wrth eu trafod;
Ond y prif bwnc bob pryd
(Mae yn naturiol ddigon),
Yw chwilio i mewn o hyd
I fusnes eu cymdogion.

Dealler hyn (mae'n ffaith),
Nid oes mewn clybiau felly
Ddim byd ond te a llaeth
Yn cael eu cydgymysgu;
Pe rhoddid ar y bwrdd
Rai o'r 'ysbrydion tanllyd',
Hwy gilient oll i ffwrdd,
A threngai'r clwb mewn munud.

Eisteddant oll yn awr,
A dawn pob un a'i stori;
Ond dyna'r stori *fawr*,
Fydd caru a phriodi;
Bydd un yn gynnil iawn,
A'r llall yn awgrymiadol;
Siaredir drwy'r prynhawn
Ar bynciau adeiladol.

Daw'n bryd ymadael toc,
Ond O! maent oll rhy brysur
Edrychant ar y cloc,
Ac nid yw yntau'n segur;
Ust! Dyna sŵn – beth sy?
Maent oll yn llygadrythu;
Y gŵr yn dod i'r tŷ –
A thyr y clwb i fyny.

Talelian, *Cyfaill yr Aelwyd* (1884)

Te a llestri 'China'

Anrheg dderbyniol iawn gan bobl ieuainc wrth ddechrau 'cadw tŷ' yw swp o lestri te ysgafn, clir, drwy y rhai y bydd goleuni yn dyfod, 'llestri china'. Gwelir cwpan neu ddau o hen 'China' mewn ambell i dŷ, a byddir yn meddwl cymaint ohonynt fel na chaniateir i neb braidd edrych na chwythu arnynt. Yn 1518 y dygwyd y math yma o lestri i'r wlad hon fel nwydd masnachol. Nid oedd yma cyn hynny ond ambell gwpan fel cywreinbeth, ac ychydig yn nhai boneddigion fyddai wedi bod ar daith o gylch y byd. Cynigiwyd gwneud llestri tebyg iddynt yn Ffrainc yn 1695, ac yn Llundain yn 1698, ac yn Saxony yn 1706, ond ni throdd y naill na'r llall yn llwyddiannus.

Yn 1712, pan oedd Ewrop fel wedi digalonni, anfonodd Xavier, Ffrancwr, cenhadwr Jesuitaidd, i'w deulu ddisgrifiad manwl o'r dull yr oedd y Chineaid yn eu gwneud, a chyn hir dechreuodd yr Ewropeaid eu gwneud, ac y mae wedi dyfod yn alwedigaeth boblogaidd. Byddai yn werth i'r neb a elo i Paris i'r Arddangosfa fynd i Sevres – pentref bychan y tu allan i furiau'r ddinas – iddo gael gweld y Ffrancod yn eu gwneud, a chaiff weld yno hefyd y casgliad gore yn y byd o hen 'lestri china'. Yr oedd y Chineaid, cofier, yn medru gwneud y fath lestri ymhell cyn i Moses ladd yr Aifftiwr hwnnw. Oedd, yr oedd gan China hanes fwy na 3,000 o flynyddoedd cyn Crist.

Evan Pan Jones, *Cwrs y Byd* (Awst, 1900)

Mae gen i gwpwrdd cornel
Yn llawn o lestri te;
A dresel yn y gegin,
A phopeth yn ei le.

Diolch am de

Rwy'n diolch i fawrion pob ardal,
Sy'n rhoddi danteithion yn rhad,
Rwy'n diolch i bawb sydd yn ddyfal,
Yn gweithio yn llon er llesâd;
Rwy'n diolch i'r ysgol Sabbothol,
Am ddysgu ieuenctid y lle,
A chan fy mod yn ddyn cystuddiol,
Rwy'n diolch am ddysglaid o de.

Eos Wyn, Pennill olaf 'Cân y Te'

50

BREUDDWYD RHEINALLT

Un o'r pethau mwyaf diddorol yn nofelau Daniel Owen yw'r breuddwydion a gaiff rhai o'i gymeriadau – fel breuddwyd rhyfedd Enoc yn ei ail nofel, *Enoc Huws*, ar ôl i Farged ymosod arno. Tua diwedd y nofel olaf, *Gwen Tomos*, aiff Rheinallt i weld Wmffra a chael ei gyfaddefiad mai ef a laddodd gipar y Plas Onn. Ar ei ffordd adref dyma ddau leidr yn ymosod ar Reinallt a bu 'yng ngwlad hud a lledrith' am dros wythnos, chwedl Dr Huws. Ac yntau'n sâl yn ei wely caiff Rheinallt freuddwydion, neu'n wir hunllefau cymysglyd iawn, ac y mae te yn rhan bwysig o'r 'gweledigaethau' a'r 'drychiolaethau' a wêl yn ei wendid.

Yr oedd rhywun hefyd yn fy ymyl yn sâl o hyd a phlasteri ar ei ben a'i wyneb, ond gwyddwn yn eithaf da nad fi ydoedd, oblegid byddwn yn aml yn rhoi fy llaw ar ei ben ac yn ffeindio fod top ei ben wedi mynd i ffwrdd, ac wrth edrych i lawr fel edrych i lawr pwll glo, gallwn weld i waelod ei gorff. Yna byddai Nansi'r Nant yn tywallt chwartiau o de i lawr y twll oedd yn nhop pen y dyn, ac ni byddai'r twll byth yn llenwi – yn hytrach byddai'r te dail yn berwi yn rhywle yng ngwaelod corff y creadur, a'r ager yn codi fel o simdde. Credwn o hyd pe gallesid cau'r twll y buasai'r dyn yn mendio, ac oherwydd hynny cymerais hynny yn fy llaw fy hun, ac mi ges ddarn o sheet haearn, ac a'i hoeliais ar dop y twll, ac edrychai'r dyn yn llawer gwell. Ond cyn gyntad ag y trown fy nghefn byddai rhywun yn tynnu'r haearn, yr hoelion a'r cwbl, a'r dyn yn waeth nag erioed, a Nansi yn ailddechrau tywallt y te dail. Ac un diwrnod mi welwn Gwen yn gwylltio wrth ei gweled yn tywallt cymaint i lawr pen y dyn, ac yn ei gwthio oddi wrtho, ac am ei chast fe witchiodd Nansi Gwen a'i gwneud cyn lleied â doli oddeutu pum modfedd o hyd, ac fe witchiodd Ann, y forwyn, wedyn yn llai na hithau, a'i gosod fel mendin ar ben Gwen. A dyna lle yr oedd y ddwy, Ann a Gwen, yn bethau bach, bach yn dawnsio ar dop post y gwely, ac yn gwawdio'r dyn sâl. Synnwn at Gwen a gofynnwn iddi ymhle yr oedd ei chrefydd, a bygythiwn ddweud ei hanes wrth Robert Wynn.

Daniel Owen, *Gwen Tomos*, Pennod 43

mendin: ychwanegiad, peth dros ben, bonws

Te yn Ffrainc

Gwreiddyn y drwg yw hyn: bod y *gair* te wedi magu rhyw ystyr feddygol yn Ffrainc. 'Trwyth' (o unrhyw blanhigyn) a feddylia ein cymdogion wrth ddweud 'te' . . . nid Gwareiddiad y Gorllewin, na dylanwad Rhufain, na'r Dadeni Dysg, na dysgeidiaeth Voltaire, na'r Chwyldro Ffrengig, 'nac unrhyw greadur arall', sy'n cyfrif am de sâl Ffrainc, ond *anwybodaeth syml*. Ac o ran hynny, fe ellir cael te da yn Ffrainc. Fe'i ceir yn ddigon didrafferth yn y mannau hynny sydd wedi arfer â Phrydeinwyr. Ac ond i chwi gymryd y drafferth, fe'i cewch mewn mannau eraill. Ond bydd yn rhaid i chwi wybod Ffrangeg yn weddol dda, a meddu hefyd ar ddoniau areithyddol. Gwnewch hi'n hollol eglur, yn y lle cyntaf, mai te Ceylon sydd arnoch ei eisiau – 'dwn i ddim paham ond dyna'r term technegol amdano, a ddysgwyd imi gan fenyw garedig yn Dijon. Yn ail, eglurwch (gan godi eich cloch bob tro, a chwifio eich breichiau ar led) fod arnoch ei eisiau'n gryf, *gryf*, GRYF. Rhoddwch ar ddeall y dylid rhoi o leiaf chwarter pwys o de yn y tebot, ac yna odid na chewch y tair llwyaid sy'n angenrheidiol. Ac yn drydydd – a chofiwch ddweud hyn mewn pryd – siarsiwch hwy i *beidio* â berwi'r llaeth. Anaml y metha'r dull hwn o ordro te.

R.T. Jenkins, *Y Llenor* (1936)

LLESTRI TE

Pan osodai'r bwrdd i de, taflodd Ella olwg hiraethus i gyfeiriad y llestri sydd ar silff uchaf y cwpwrdd gwydr. Llestri te ydynt â rhosynnau rhuddion yn blaguro uwch gwyrdd ac aur y cefndir, rhosynnau hynod hardd a'r tipyn gwyrdd danynt yn ymdoddi i'r aur sy'n ymestyn i fin y gwpan neu'r plât neu'r jwg.

'Be 'newch chi hefo'r llestri crand 'na, John Davies?'

'Mynd â nhw efo mi, Ella. Wna' i ddim gwerthu'r rheina.'

Tawodd hithau, a gwelwn oddi wrth ei phrysurdeb yn paratoi'r bwrdd i de, a'r modd yr oedd ei llygaid yn osgoi edrych arnaf, y teimlai'n ddig wrthi ei hun am dynnu fy sylw at y llestri.

'Y mae'n ddrwg gen i i mi sôn am y llestri wrthach chi, John Davies,' meddai ymhen ennyd. 'Yr ydw' i yn un ddifeddwl, ond ydw'?'

Chwerddais innau, a dweud nad oedd yn rhaid iddi ei beio'i hun o gwbl.

'Pan fydd rhyw ferch ifanc go smart yn galw i'm gweld yn fy llety, Ella, mi rown ni'r llestri crand ar y bwrdd,' meddwn.

Crwydrai fy llygaid o'r bwrdd i silff uchaf y cwpwrdd gwydr trwy amser te. Ac wedi imi orffen bwyta, eisteddais yn ôl yn fy nghadair a syllu'n hir ar y llestri a'u rhosynnau hardd. Cofiwn y diwrnod yr aeth fy mam a'm tad i Gaernarfon i'w prynu yn anrheg priodas imi . . .

Rhoes fy nhad y pecyn ar y bwrdd i'w ddatod yn bwyllog a gofalus. Gwelwn y balchder yn llygaid y ddau wrth i'r llestri crand ddod i'r golwg, a phan ddaliodd fy mam gwpan i fyny yng ngolau ffenestr a denu tinc ohoni â'i hewin, gallwn dyngu wrth weld fy nhad mai ef a luniodd y gwpan ac a beintiodd y rhosynnau. Aeth fy mam â'r llestri i'r parlwr i'w gosod ar y bwrdd bach wrth y ffenestr, a galwodd amryw i'w gweld gyda'r nos. Ymunai fy nhad hefyd â'r ymwelwyr, gan sefyll wrth y bwrdd bach – fel awdur a pherffeithydd y llestri.

Diar annwyl, y mae'r dyddiau hynny fel doe er i bymtheng mlynedd lithro ymaith.

T. Rowland Hughes, O Law i Law (1943)

BEDDGELERT, CAERNARVONSHIRE, N. WALES: *by Frederick Griffin*

They're rich in song and sagacity in Wales

WALES, poet's corner of our Island, home of the great Eisteddfods. Here flows the Wye, famed for its salmon. Majestic mountains and placid valleys dazzle the eye with beauty. Ancient strongholds tell of a turbulent past. At Caernarvon our warrior King Edward the First gave his son to Wales as their Prince. From the south comes the fuel to power the world.

It is a land traditioned by ancient holy men, bards and minstrels, and by the great deeds of the mighty Llewellyn and the Glendowers, former Kings of Britain. It cradled our royal Tudor dynasty.

The Welsh love of their land is as strong and steadfast as their mountains. They are independent minded, fervent in their beliefs, still faithful in their rural districts to their ancient language. They have a mental penetration second to none. And on moun-

tain pass, in sheltered valley, in busy mining area, and by the rolling Atlantic, the little red Brooke Bond vans will be seen—evidence of a people's sound judgment.

*　　　*　　　*

Brooke Bond have thousands of acres of their own tea gardens—more than any other firm of tea distributors in the world—with their own buyers in all the big world tea markets. Brooke Bond is the only tea firm with five blending and packing factories in the United Kingdom. Each serves its own part of the country, and the little red vans, always a familiar sight, become more and more in evidence every week delivering fresh tea to over 150,000 shops.

Over 50 million cups of Brooke Bond tea are drunk every day

Brooke Bond

 good tea-and FRESH!

We *specially* recommend

54

Y gŵr bonheddig mwyna',
Deg swllt a deg a dima
Sydd arnoch chi ers dyddiau maith
Am ddail a ddaeth o'r India.

Ar drot ar drot i'r dre,

Mo'yn pwys o siwgwr ac owns o de;

Ar drot ar drot, fy merlyn bach gwyn,

Ar drot ar drot dros gorun y bryn,

Ar garlam ar garlam i lawr y glyn.

Te cefn gwlad

'Llenwai'r capel ein byd
gymaint ag y gwnâi'r ysgol . . .
Ond yn y festri y byddem
fynychaf – naill ai'n
ddisgyblion yn yr Ysgol Sul, yn
gantorion yn yr Ysgol Gân, yn
ddadleuwyr swil yn y
Gymdeithas Ddiwylliadol
neu'n draflyncwyr glwth
mewn Te Parti.'

Hugh Bevan,
Morwr Cefn Gwlad (1971)

Y CARDI A'R TE

Troi a throsi, troi i ble?
I Abergele i yfed te.

Beth yw'r gwahaniaeth rhwng Cardi a
dyn o Sir Gâr a dyn o Sir Forgannwg?

Wel, wrth roi te i chi dywedai'r gŵr o
Sir Forgannwg, 'Os nad oes digon o
siwgwr yn eich te chi, helpwch ych
hunan o'r basin fanna'.

Dywedai'r dyn o Sir Gaerfyrddin,
'Wel, os nad oes digon o siwgwr yn ych
te chi, rhowch lwyed fach arall fewn'.

A'r person o Sir Aberteifi, 'Gwnewch
yn siŵr bo chi 'di droi e'n ddigon da'.

Llinos M. Davies,
Crochan Ceredigion (1992)

Pryd o De

Iach iawn i ddyn yw pryd o de,
Mae'r corff a'r synnwyr yn eu lle;
Gwrthwyneb yw i'r ddiod frag,
Corff afiach iawn a phoced wag.

Cerngoch (John Jenkins, 1825-94)